Para: _____

De: _____

Edición: Lidia María Riba
Colaboración editorial: Jorgelina Lattaro - Cristina Alemany
Dirección de arte: Trini Vergara
Diseño e ilustraciones: Raquel Cané

www.libroregalo.com

Argentina: Demaría 4412 (C1425 AEB) Buenos Aires
Tel./Fax: (54-11) 4778-9444 y rotativas
e-mail: editoras@vergarariba.com.ar

México: Av. Tamaulipas 145, Colonia Hipódromo Condesa
CP 06170 - Delegación Cuauhtémoc, México D. F.
Tel./Fax: (5255) 5220-6620/6621 - 01800-543-4995
e-mail: editoras@vergarariba.com.mx

ISBN: 978-987-9201-97-8

Impreso en Uruguay por Pressur
Printed in Uruguay

Te quiero mamá / compilado por Lidia María Riba
1ª ed. - Buenos Aires: V&R, 2006.
48 p.: il.; 17x17 cm.

ISBN: 978-987-9201-97-8

1. Libro de Frases. I. Riba, Lidia María, comp.
CDD 808.882

Te quiero, Mamá

V&R

EDITORAS

Porque tu mirada emocionada fue lo primero
que encontraron mis ojos al abrirse a la vida.
Porque no importa dónde te encuentres,
siempre estás cerca de mí.
Porque tu fe en mí me ha llevado
hasta lugares que creí imposibles.
Porque tus brazos son fuertes para sostenerme,
tus manos son generosas para darme,
tus palabras son acertadas para aconsejarme,
tus silencios son sabios para confortarme,
tu paciencia, infinita para comprenderme.
Porque eres espejo seguro de mis alegrías
y refugio secreto de mis tristezas.

Porque he aprendido de ti a ser mejor y a vivir mejor,
a ir por más y no conformarme,
a entregarme sin condiciones a lo que amo y a quienes amo.
Porque te quiero y te confronto
y te desafío y te pongo a prueba,
para volver a quererte y comenzar de nuevo,
sabiendo que siempre cuento contigo.
Por estas razones de hoy y por tantas que callo y sabes,
por todo lo que te debo y por lo que aún compartiremos,
cómo no decirte muchas veces...
te quiero, mamá.

L. M. R.

Soy la mujer que sostiene el cielo.
El arco iris pasa por mis ojos.
El sol se abre paso hasta mi vientre.

POEMA DE LOS INDIOS UTE

La madre ha logrado
dormir a su hijo.
Una obra maestra de suspiros,
de menudas palabras,
de amenazas, de mimos,
de dulces cancioncillas,
de voluntad, de instinto...

BALDOMERO FERNÁNDEZ MORENO

suspiros

Cuando todo lo que es susceptible de amar
y olvidar en esta vida os haya abandonado, ella,
vuestra madre, abrirá sus brazos siempre amantes,
para recibiros en ellos, como una paloma extiende sus alas
para cobijar a sus polluelos, por más apartada,
por más distante que esté de vosotros,
aunque tenga que recorrer el mundo entero para recibiros.

PEDRO B. PALACIOS (ALMAFUERTE)

una pequeña vida

Ño se hallará una mujer
a la que esto no le cuadre;
yo alabo al Eterno Padre,
no porque las hizo bellas,
sino porque a todas ellas
les dio corazón de madre.

JOSÉ HERNÁNDEZ

corazón de madre

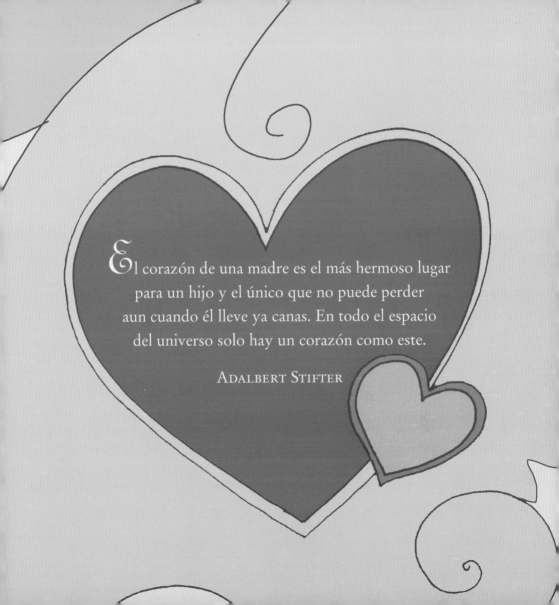

$\mathcal{E}$l corazón de una madre es el más hermoso lugar
para un hijo y el único que no puede perder
aun cuando él lleve ya canas. En todo el espacio
del universo solo hay un corazón como este.

ADALBERT STIFTER

La relación madre-hijo es paradójica y, en cierto sentido, trágica. Exige el amor más intenso de parte de la madre y, sin embargo, este mismo amor debe ayudar al niño a crecer hasta ser totalmente independiente de ella.

ERICH FROMM

Mamá quería que yo tuviera sus alas para volar como ella jamás había tenido el coraje de hacerlo. La adoro por eso. Adoro que ella haya querido dar a luz a sus propias alas.

ERICA JONG

El mundo para ella

El patio con una sola vida,
mi madre en el centro
gran jefa de la bondad
y de la justicia.
El cielo
como una bufanda
para abrigarla.
El mundo para ella
porque lo inventó.

CARLOS ENRIQUE URQUÍA

¡Ah, volver a nacer, y andar camino,
ya recobrada la perdida senda!
Y volver a sentir en nuestra mano
aquel latido de la mano buena
de nuestra madre… Y caminar en sueños
por amor de la mano que nos lleva.

ANTONIO MACHADO

¿Todas las madres se parecen? Cualquiera diría que sí
pero, déjenme decirles: las madres latinas son especiales.
Una madre latina tiene –más que ninguna otra–
las manos grandes. Manos que dan, que hacen,
que protegen contra las dificultades exteriores,
manos que olvidan lecciones aprendidas en libros
de psicología para entregarse a sus hijos,
más allá de sí mismas, más allá –incluso– de ellos mismos.

L. M. R.

la mano que nos lleva

Ser madre te convierte en madre de todos los niños.
Desde ese momento, cada niño herido, abandonado
o asustado es tu hijo. Vives en las madres de todas las razas
y todos los credos, y lloras con ellas cuando sufren.
Desearías poder consolarlos a todos.

CHARLOTTE GRAY

Siempre serás un niño

Siempre serás un niño mientras tengas
una madre a quien recurrir.

SARAH JEWETT

modelos para ellos

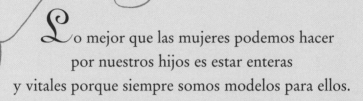

$\mathcal{L}$o mejor que las mujeres podemos hacer
por nuestros hijos es estar enteras
y vitales porque siempre somos modelos para ellos.

SILVIA SOLOMONOFF

$\mathcal{H}$e hablado de mi madre. ¡Hija amada del deber,
visión tranquila y mano segura en medio de la borrasca,
columna de mi casa!
En la pobreza, que como continua tormenta golpeó
las puertas de su casa, ella tuvo, la admirable, el don
de desconcertarla con su industria y de dignificarla
con su hidalguía, que en ninguna hora vio desmentir.
Lo que soy es por ella: y soy la menor de sus obras.

DOMINGO FAUSTINO SARMIENTO

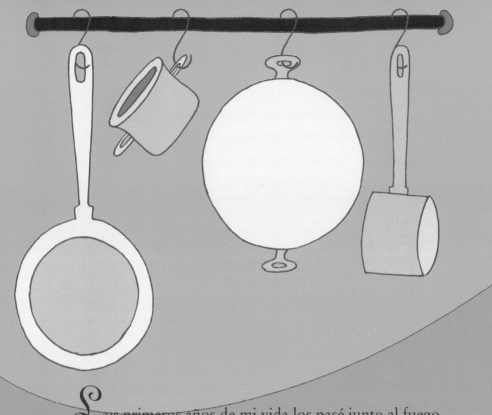

Los primeros años de mi vida los pasé junto al fuego
de la cocina de mi madre y de mi abuela, viendo cómo
estas sabias mujeres al entrar en el recinto sagrado
de la cocina se convertían en sacerdotisas,
en grandes alquimistas que jugaban con el agua,

el aire, el fuego, la tierra, los cuatro elementos
que conforman la razón de ser del universo.
Lo más sorprendente es que lo hacían de la manera
más humilde, como si no estuvieran haciendo nada,
como si no estuvieran transformando el mundo a través
del poder purificador del fuego, como si no supieran
que los alimentos que ellas preparaban y que nosotros
comíamos permanecían dentro de nuestros cuerpos por
muchas horas, alterando químicamente nuestro organismo,
nutriéndonos el alma, el espíritu, dándonos identidad,
lengua, patria. Fue ahí, frente al fuego,
donde recibí de mi madre
las primeras lecciones de lo que era la vida.

LAURA ESQUIVEL

el poder purificador del fuego

¡Oh mi casa sin cítricos, mi casa donde puede
mi poesía andar como una reina!
¿Qué sabes tú de formas y doctrinas,
de metros y de escuela?
Tú eres mi madre, que me dices siempre
que son hermosos todos mis poemas;
para ti, soy grande; cuando dices mis versos,
yo no sé si los dices o los rezas...

ANDRÉS ELOY BLANCO

Tienes un mensaje especial que entregar, una canción
especial que cantar, un acto especial de amor que realizar.
Este mensaje, esta canción y este acto
de amor te fueron concedidos a ti sola. Exclusivamente a ti.

JOHN POWELL

una canción especial

$\mathcal{L}$as mujeres saben cómo criar niños:
tienen ese talento natural, simple y alegre,
para atar cinturones, calzar zapatitos de bebé,
y luego enlazar dulces palabras sin sentido
dándoles pleno sentido a fuerza de besos.

ELIZABETH BARRETT BROWNING

$\mathcal{A}$quel que aceptara seguir hablando, tiernamente, sin que se le respondiera, adquiriría una gran maestría: la de la madre.

ROLAND BARTHES

dame una estrella

Mi madre ha sonreído como suelen
aquellos que conocen bien las almas;
ha puesto sus dos manos en mis hombros,
me ha mirado muy fijo…
y han saltado mis lágrimas.

ALFONSINA STORNI

¡Dadme una estrella, madre!
Y ella me daba dos:
sus ojos como estrellas
profundas del Señor.

ARTURO CAPDEVILA

Duerme tranquilo en mis brazos,
en este trono tan grande
que Dios tan sólo concede
a los hombres cuando nacen.
Yo espantaré con mis ojos
a quien venga a despertarte:
duerme tranquilo, alma mía…
¡Tienes madre!

SERAFÍN Y JOAQUÍN ALVAREZ QUINTERO

Las madres de este mundo merecen el mayor respcto
debido a que tienen el mayor poder y la mayor responsabilidad:
hacer surgir y nutrir vida nueva. La prosperidad de cada
familia, cada sociedad o nación, aun del mundo entero,
en última instancia, descansa sobre sus hombros.

MARINA PACHECO

la curiosidad

Cuando nazca tu hijo, asegúrate no sólo de transformarte en madre, sino también de transformarte en niña.

DOGEN

Creo que si las madres pudiéramos pedirle a un hada madrina que le concediera un don realmente útil a nuestro recién nacido, le pediríamos que le concediera la curiosidad.

ELEANOR ROOSEVELT

*D*e una madre hermosa
celos tiene el sol
porque vio en sus brazos
otro sol mayor.

LOPE DE VEGA

*N*o me importa lo que digan los médicos:
sé que es mejor que la madre y su hijo estén juntos…
Las madres de hoy están perdiendo dos de las mayores
bendiciones que Dios ha concedido a una madre:
el placer de dormir con su niño y amamantarlo.
Una cercanía que no puede comprenderse si no se vive.
¿Cómo podremos sostenerlos más adelante
si empezamos sus vidas alejándolos de nosotras?

VERMA M. SLONE

en tus brazos

otro sol

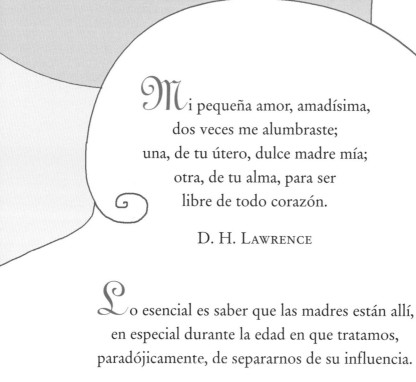

Mi pequeña amor, amadísima,
dos veces me alumbraste;
una, de tu útero, dulce madre mía;
otra, de tu alma, para ser
libre de todo corazón.

D. H. Lawrence

Lo esencial es saber que las madres están allí,
en especial durante la edad en que tratamos,
paradójicamente, de separarnos de su influencia.

Margot Fonteyn

Las madres están allí.

en mi soledad

Estar siempre disponible sin estar todo el tiempo presente
es probablemente el mejor papel
que puede desempeñar una madre.

LOTTE BAILYN

Te tengo apretada de la mano, madre,
y tu contacto está conmigo en mi soledad.

RABINDRANATH TAGORE

*L*a capacidad de engendrar vida, de asegurar
la continuidad de la especie, de preservar lo esencial
de la condición humana, otorga a la mujer
la intuición natural de saberlo todo,
aun no sabiendo que lo sabe.

AUGUSTO ROA BASTOS

*L*as madres son los filósofos más instintivos.

HARRIET BEECHER STOWE

engendrar vida

La mujer partió el pan en dos trozos
y se lo dio a los niños, que lo comieron con avidez.
–No tomó nada para ella –murmuró el sargento.
–Porque no tiene hambre –dijo un soldado.
–No, porque es una madre –respondió el sargento.

Víctor Hugo

Nunca serás tan alta como cuando te agachas
a ayudar a tu hijo.

Pitágoras

una madre

*A*quel que se ha sentido el indiscutido ídolo de su madre
mantiene de por vida la sensación del conquistador,
esa confianza en el éxito que a menudo
conduce a alcanzarlo.

SIGMUND FREUD

*M*i madre me regaló un amuleto cuando era pequeño,
para que me diera seguridad. Sirvió hasta que me di cuenta
de que la seguridad que yo sentía emanaba de ella.

ALEXANDER CRANE

Llévame, solitaria,
Llévame entre los sueños,
Llévame, madre mía,
Despiértame del todo,
Hazme soñar tu sueño,
Unta mis ojos con aceite,
Para que al conocerte
Me conozca.

OCTAVIO PAZ

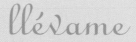

llévame

Otros libros para regalar

UN REGALO PARA MI MADRE   UN REGALO PARA MI PADRE   UN REGALO PARA MI HIJA   UN REGALO PARA MI HIJO

¡Tu opinión es importante!

Escríbenos un e-mail a **miopinion@libroregalo.com**
con el título de este libro en el "Asunto".